Schaper
Die Legende
vom
vierten König

Edzard Schaper

Die Legende vom vierten König

Mit Zeichnungen von Celestino Piatti

Artemis Verlag
Zürich und München

Zehnte Auflage

Zürich und München
Die erste Auflage erschien 1961 im
Jakob Hegner Verlag Köln
Druck J. P. Bachem Köln

Printed in Germany 1984
ISBN 3 7608 0965 0

Als das Jesuskind in Bethlehem geboren werden sollte, erschien der Stern, der seine Geburt anzeigte, nicht nur den weisen Königen im Morgenlande, sondern auch einem König im weiten Rußland. Es war kein großer, mächtiger Herr oder besonders reich oder ausnehmend klug und den Künsten der Magie ergeben. Er war ein kleiner König mit rechtschaffenem Sinn und einem guten, kindlichen Herzen, menschenfreundlich, sehr gutmütig, gesellig und einem Spaß durchaus nicht abgeneigt. Daß einmal ein Stern am Himmel erscheinen und die Herabkunft des Allherrschers über das ganze Erdreich ankündigen würde, und daß der Königssproß, der dann in Rußland herrschte, aufbrechen und dem größeren Herrn als Gefolgsmann huldigen müßte, das wußte unser kleiner König von allen seinen Vätern und Vorvätern her. Die hatten diese Verheißung durch viele Geschlechter bewahrt und jedem ihrer Nachfolger weitergegeben.

Er hatte eine Riesenfreude, der kleine König in Rußland, daß der Stern, der das größte Ereignis der Welt ankündigte, gerade zu der Zeit am Himmel erschien, in der er, noch jung an Jahren, am Regieren war, und beschloß, sogleich aufzubrechen. Großes Gefolge wollte er nicht mitnehmen, das lag ihm nicht, und nicht einmal einen von seinen treuesten Knechten, denn es war nichts darüber bekannt, wo der größte Herrscher geboren werden und wie weit seine Reise ihn führen würde. Er wollte sich allein auf die Suche machen. Also ließ er sich sein Lieblingspferd Wanjka satteln - keinen Streithengst oder dergleichen, sondern nur so ein kleines, unverwüstliches russisches Pferdchen: zottig und mit einer Stirnlocke, daß die Augen kaum den Weg erkennen konnten, auf dem sein Herr es lenkte, aber ausdauernd und genügsam, wie man es für eine weite Reise braucht. Aber halt! dachte der kleine König, mit leeren Händen geht man nicht huldigen, zumal es nicht nur einem hohen, sondern dem höchsten Herrn gilt. Er überlegte lange, was er wohl mitnehmen könnte, daß seine Satteltaschen es noch zu fassen vermöchten, was die Güter und den Fleiß seines Landes ins rechte Licht setzen und, vor allem, für den zur Welt gekommenen

höchsten Herrn eine geziemende Huldigungsgabe sein würde. Die Reiche dieser Welt, dachte er bei sich, beurteilt ein weiser Mann stets nach der Tugend und dem Fleiß ihrer Frauen. Also nahm er etliche Rollen vom schönsten, zartesten Linnen mit, das die Frauen seines Landes aus dem dort gewachsenen Flachs gewebt hatten. Dazu packte er etliche der schönsten, edelsten Pelze ein, die seine Jäger in den Wintern erlegt und weich wie Sammet und Sämisch gegerbt hatten. Dann, meinte der König, sieht jedermann, geschweige dieses allweise Kind, daß mein Volk auch im Winter nicht auf der faulen Haut liegt, obschon es auf unseren großen Öfen dann bei Kwaß und Gurken wie im Himmel ist. Von den Flußtälern, in denen seine Arbeiter Goldkörner aus dem Sande wuschen, ließ er sich viele kleine Ledersäcklein mit dem zauberischen Korn bringen, das den Wandel dieser Welt regiert, und aus den Bergen seines Landes, wo die verläßlichsten seiner Bergleute in den verschwiegensten Minen schürften, die keines Untertanen Wissen kannte und kein Mund je nannte, vermehrte er rasch noch den Vorrat an seltenen und kostbaren Edelsteinen, der beständig in seiner Schatzkammer lag. Die schönsten und wertvollsten nahm er als Gabe seines Reiches an den Allherrscher auf die Reise mit. Und schließlich, mehr der Frauenklugheit gehorchend, von der er gehört hatte, sie sei das einzige, was die Welt am Saum halte, wenn die Weisheit der Könige zu Ende sei, ließ er sich von seiner Mutter noch ein kleines irdenes Krüglein Honig hinzutun, den die samtpelzigen, runden Bienchen in den Linden Rußlands gesammelt. Kinder, welcher Art sie auch seien, hatte die Mutter gesagt, brauchten diesen Nektar. Und sei das Kind, das geboren werden sollte, der alten Verheißung nach auch vom Himmel gekommen, so werde es der Honig einer russischen Linde noch am ehesten an seine bessere Heimat erinnern.

Dies waren die Gaben, die der kleine König mitnahm. Und nachdem er den Seinen alles gut anvertraut und ihnen gesagt hatte, wie sie's mit allem halten sollten, bis er wiedergekommen war, ritt er eines Nachts auf Wanjka davon, denn da leuchtete der Stern ja am hellsten. Er ritt durch sein ganzes Königreich, aber der Stern stand und stand nicht still. Er mußte über die Grenzen in die unbekannte Welt hinaus. Das tat er, aber die Fremde war natürlich etwas anderes und Schwereres als die vertraute, eigene Erde. Tag um Tag war er unterwegs, manchmal auch des Nachts, wenn er meinte, der lange Schweif seines Sterns, dem er folgte, berühre beinahe die Erde und er könne ihn schon im nächsten Augenblick mit den Händen pakken und sich, ohne weiter viel nachdenken zu müssen, einfach an den Ort des Heils ziehen lassen.

Aber nein, das ging nicht. Was ihn allein zog, war sein eigenes Verlangen, dem größten Herrscher aller Zeiten und Zonen huldigen zu dürfen, und dieses Verlangen trachtete er nie ermatten oder gar ganz einfach einschlafen zu lassen, so sehr ihn auch die Fremde fesselte und verwirrte.

Er sah so vieles, was er bis dahin nicht gekannt und davon er nie gehört hatte. Das Gute merkte er sich genau, damit er es später, wie er dachte, auch bei seinem Volk im eigenen Land in Schwang setzen könnte; das Schlechte grämte und bekümmerte

ihn noch mehr, als wenn er's im eigenen Land hätte sehen müssen, denn hier in der Fremde besaß er ja keine Macht, wieviel Mitleid auch in ihm erwachte, wenn er die Gerechten schmachten und die Guten im Elend sah. Er half, wo er konnte, mit Worten und Werken und bedachte, wenn er wieder allein unterwegs war, immer inniger in seinem Sinn, wie brennend nötig die Welt doch einen neuen Allherrscher brauche, der die Verfolgten zu schützen, die Unterdrückten wiederaufzurichten, die Gefangenen zu lösen, die Kranken zu heilen und die Gerechten zu belohnen vermochte. Dieses alles, so lautete die alte Verheißung, nach der er aufgebrochen war, werde der neue Herrscher tun.
Zwei, drei Monde lang war er schon unterwegs, da hatte er eines Nachts, als der Stern besonders prächtig am Himmel wanderte und er ihm beim flinken Trab seines Pferdchens mit Wehmut im Herzen nachritt, weil er an die ferne Heimat denken mußte, aus der er vor schon so langer Zeit aufgebrochen war, eine ganz seltsame Begegnung. Das erste, was er im Dunkel erkannte, dünkten ihn wandernde Hügel zu

sein. Beim Näherkommen dann gewahrte er, daß es eine vornehme Reisegesellschaft sein mußte, welche der Kühle wegen vorzog, bei Nacht unterwegs zu sein, oder welche dem Stern ebensoviel Beachtung schenkte wie er selbst. Nur ritten die Herren und ihr Gefolge nicht Pferde, sondern Kamele, die wie in Filzstiefeln einherschlurften, und was ihn wandernde Hügel gedünkt hatten, waren die höckerigen Rükken der schwerbepackten Kamele.

Als der flinke Trab des russischen Pferdchens die Gesellschaft eingeholt hatte, scharten die Diener sich sogleich schützend um ihre drei Herren, denn sie mochten Räuber befürchtet haben, aber das Mißverständnis war rasch behoben. Und unser kleiner König, gesellig wie er war, freute sich, Weggenossenschaft zu haben. Er fragte die drei Herren, woher sie kämen und wohin sie wollten, und diese nannten ihm Reiche im Osten, aus denen sie einmal aufgebrochen waren, von denen unser kleiner König noch nie erzählen gehört hatte. Ihr Ziel aber - ihr Ziel war sein eigenes Ziel: der Ort, über welchem der Stern stillestand! Dort, sagten sie, sei ihnen offenbart

worden, werde ein Kind geboren werden, das der größte König, der weiseste Arzt und der höchste Priester aller Zeiten und Zonen war, und diesem Kind müßten sie huldigen und es anbeten. Der kleine König kam aus dem Staunen nicht heraus. Er erzählte ihnen, daß er aus eben demselben Grund aufgebrochen sei aus Rußland. Die drei Herren aus dem Osten kannten es dem Namen nach, aber sie schienen es für ein sehr dunkles, wildes und kaltes Land zu halten, in dem König zu sein sich gar nicht verlohne. Bis daß es Morgen wurde, versuchte der kleine König sie zu überzeugen, daß es das beste und liebste Land der Welt sei, aber das gelang ihm nicht so recht.
Und als es hell wurde und er erkannte, mit wem er im Dunkeln so freimütig gesprochen hatte, wurde er ganz kleinlaut.
Gegen soviel Pracht und Würde, wie da auf den Kamelrücken schaukelte, nahm er sich nur wie ein Strolch aus, und beim Anblick der vielen beflissenen Diener fragte er sich einen Augenblick lang, ob es nicht vielleicht doch klüger gewesen wäre, wenn er ein paar von seinen treuesten Knechten zur Aufwartung mitgenommen hätte, ob-

schon auch seine besten Leute es mit den Schranzen dieser drei an höfischer Gewandtheit, welche jene ihren Herren abgeguckt, ums liebe Leben nicht hätten aufnehmen können. Der kleine König sah an seinem staubigen, verschlissenen Reitrock hinunter und schämte sich, und die drei großmächtigen Herren aus dem Osten schienen ihm mit ihrem gemessenen Schweigen zu bedeuten: für einen, der im Dunkeln ein so großes Wort geführt, sähe er im Hellen gar zu klein aus. Die drei waren überhaupt die seltsamsten Menschen, die der kleine König je zu Gesicht bekommen hatte, und dabei hatte er während der letzten Monde doch schon allerlei Seltsames gesehen. Der eine von ihnen, mit einem langen, gewichsten Spatenbart, war ungefähr so weiß wie die Menschen insgemein, der zweite war gelb wie eine Lindenblüte und der dritte gar schwarz. Nun ging dem kleinen König auch auf, warum er, als es noch Nacht gewesen war, sich mitunter hatte fragen müssen, ob er denn wirklich mit dreien und nicht nur mit zweien spräche. Der Schwarze war immer ein Stück Nacht selbst gewesen.

Auf den Feldern vor dem Ort, in welchem die Weitgereisten Herberge suchen wollten, weil der wegweisende Stern nun untergegangen war, während unser kleiner König meistens mit dem Sattel als Kopfkissen hinter einer Feldscheune schlief, funkelte der Tau der Morgenfrühe, in welchem die Sonne Feuer anzufachen schien, und die Herren priesen das Schauspiel. Da packte unseren kleinen König der Übermut, und er, so staubig und unscheinbar er aussah, wollte bei all der fremden Pracht ringsumher auch einmal für etwas gelten.
»Aber ein paar Perlen aus dem teuren Rußland«, rief er, »glänzen doch noch viel schöner als der Tau!« griff in die Satteltasche, holte ein Ledersäcklein mit Perlen hervor, die er eigentlich für das Jesuskind mitgenommen hatte, und streute die in weitem Bogen als eine Saat seiner Eitelkeit und Liebe zu dem teuren Land der Väter in das taufunkelnde Feld.
Die drei Herren schwiegen verdutzt zu diesem Überschwang. Erst nach einer geraumen Weile erkundigte sich der mit dem Spatenbart: »Waren das Perlen?«
»Freilich«, sagte der kleine König, »und ei-

gentlich ...« Ihm fiel jetzt erst ein, daß der neue große König sie hatte bekommen sollen, aber er schämte sich, das einzugestehen, und sprach deshalb nicht weiter. »Rußland hat noch viele«, meinte er dann kurz angebunden.

»Perlen sind Tränen«, sagte der Fremde mit dem Spatenbart. »Warum sät Ihr Eure Tränen in die fremde Erde aus, Herr Bruder?«

»Ach, dazu bin ich wohl ausgezogen«, sagte der kleine König unbedacht und keck, »ich behalte ja noch immer mein Lachen!« Aber ihm war gar nicht so keck zumute, wie er tat, und mit jeder Meile, die sie noch ritten, hatte er immer mehr das Gefühl, die drei Herren glaubten ihm gar nicht, daß er zu dem gleichen Ziel unterwegs sei wie sie, oder sie hielten ihn für ganz und gar unwürdig, dieses neuen, größten Königs Vasall zu sein. Die wenige Zeit, die er noch mit ihnen zusammen war, führten die drei so gebildete Gespräche miteinander, daß er ihnen gar nicht zu folgen vermochte und lieber Unterhaltung mit einem ihrer Diener gepflogen hätte, nur verstand er die nicht.

Als sie bei der Herberge angelangt waren, in welcher die drei sich durch einen Vorreiter angesagt hatten und wo alles für ihren Empfang gerüstet war, daß sie auch in den Tagesstunden eine rechte Ruhe genießen könnten, ließ der kleine König sich gar nicht darauf ein, die mißliche Rolle eines Überzähligen zu spielen. Für die drei war er ein gar zu kleiner Herr, als daß er das Lager mit ihnen hätte teilen dürfen; und für einen Platz unter ihrem Gesinde kam er sich selbst, Rußland zu Ehren, zu groß vor. Also band er seinem Pferdchen Wanjka den Maltersack vor, nahm ihm die Packtaschen und den Sattel ab und legte sich mit denen als Kopfkissen in der Scheuer allein zum Schlaf nieder, wie er's gewohnt war.

Er schlief prächtig und träumte von Kwaß und Gurken, als läge er daheim auf einem russischen Ofen, aber als er aufwachte, geschah es von einem Stöhnen, in welchem aller Welt Jammer laut zu werden schien. Verwundert rieb er sich den Kopf, weil er doch allein zu sein meinte, da ward er gewahr, daß nach ihm sich noch jemand eingeschlichen hatte. Es war ein junges Bettelweib, das hier untergekrochen war, um seine schwere Stunde unter einem schützenden Dach zu erwarten, und während er gemächlich geschlafen, hatte sie einem Mägdlein das Leben geschenkt. Niemand war da, der Mutter und Kind hätte beistehen können, als er allein. Gewohnt war der kleine König die Arbeit nicht, die jetzt auf ihn wartete, aber aus gutem Herzen meinte er, sich nicht versagen zu dürfen. Er holte der jungen Mutter aus der Herberge etwas zu essen und zu trinken, und weil sie in den letzten Tagen nichts von den Leuten bekommen hatte, füllte er auch ihren Beutel mit ein paar Prisen Gold aus einem seiner ledernen Säcklein reichlich auf. Nur das Kindlein hatte es noch ganz erbärmlich... Mit gerunzelter Stirn betrachtete der kleine König immer wieder dessen elende Blöße. - »Ach, du armer Schneck!« sagte er schließlich, »welcher Liederjan auch dein Vater gewesen ist, der dir nicht mehr als die dünne Haut auf diese Welt mitgegeben hat - so lasse ich dich nicht!« Und er ging hin, packte eine seiner Satteltaschen auf, entnahm ihr eine Rolle von dem heimatlichen Linnen und trennte ein halbes Dutzend der schön-

sten 'Windeln, volles, breites, russisches Maß, davon ab.
Als er für alles Notwendige gesorgt hatte, daß Mutter und Kind unbesorgt der kommenden Nacht entgegensehen konnten, war es schon Abend geworden. Der kleine König sattelte sein Pferdchen und nahm von der Bettlerin Abschied. »In meinem Land«, sagte er zu ihr, »solltest du es besser haben«, und er erzählte ihr vom traulichen Rußland, in dem alle Bettler der Barmherzigkeit sicher sein konnten, ohne zu sagen, wer er dort war.
»In meinem Lande«, entgegnete die Bettlerin ihm mit schwacher Stimme, »solltest du der König sein. Aber ich gelte ja gar nichts, und deshalb kann ich dich nur zum König über mein Herz machen. Das aber tue ich sicher, von dieser Stunde an.«
Sieh an, sagte sich der kleine König glücklich, vom Gold und vom Linnen für den großen Allherrscher habe ich freilich einiges weggegeben, aber dafür habe ich jetzt auch in der Fremde mein eigenes Land, und vielleicht ist solch ein Herzens-Land nicht das Schlechteste. Wenn nur der große König mir verzeiht...

Als er sein Pferd auf den Hof der Herberge führte, lag der weit und verlassen da. Die Karawane der drei großmächtigen Fremden, sagten die Leute, sei beim ersten Sternenstrahl davongezogen. Dieser Stern da, mit dem langen Schweif, sagten die Leute und zeigten auf den großen Stern, weise ja auch auf ein ungewöhnliches Ziel.
Der kleine König wiegte nachdenklich den Kopf. Zum erstenmal auf der ganzen Reise schlich sich ein Bangen in sein Herz ein, und ein dunkles Gefühl, schon vom Morgen her, daß er gefehlt oder etwas versäumt haben könnte. Aber dann faßte er sich, legte den Leuten noch einmal die Bettlerin mit ihrem Kinde ans Herz und ritt davon.
Er ritt und ritt, er ritt diese Nacht und die folgende und alle Nächte, die in diesem Mond noch kamen; längst hatte er alle Lieder der Heimat gesungen, die er in seinem Gedächtnis bewahrte und sich selbst und Wanjka des Nachts zur Ermunterung vorsang; nie mehr holte er die Karawane der drei Könige aus dem Morgenland ein. Es war, als hätte sie die Erde verschluckt. Wo er nach ihr fragte, bekam er wortkarge Antworten, so daß er mehr als einmal der Mei-

nung war, die drei hätten den Leuten mit Fleiß aufgetragen, falsche Auskunft über ihren Weg zu geben, obschon das Land eben in Frieden lag und alle Tore, auch bei Nacht, offenstanden. Doch solange der große Stern am Himmel stand und er seinen Weg nach dem wählen konnte, war er niemals richtig verzagt, Könige hin, Könige her. Freilich hätte er seine Aufwartung gerne mit denen zusammen gemacht; nicht so sehr, weil dann etwas von ihrem Glanz auf ihn hätte fallen können, sondern weil Gesellschaft dem Schüchternen immer ein wenig mehr Mut gibt.
Die, mit denen er tagsüber Gesellschaft hatte, gewannen allerdings nicht den Eindruck, daß er so besonders schüchtern sei. Es steckte doch ein König in ihm, der gewohnt war, zu befehlen, und mit dem König zugleich ein Richter. Je weiter er nach Süden ritt, desto ungerechter dünkten ihn jene, welche über diese Länder herrschten, und desto härter war das Los der Beherrschten. Krankheiten und Seuchen fraßen wie die Räude um sich, und wehe denen, die zum Siechtum verurteilt waren, denn sie hatten ein jahre- und jahrzehntelanges Ster-

ben ohne Obhut und Pflege. Die Peitsche regierte, wo das Zepter hätte walten sollen, und der Mensch verwandelte sich zur Ware. Dem kleinen König gingen die Augen über, was alles der neue große König, der zur Welt kommen sollte, hier noch auszurichten haben würde, und jetzt erst konnte er so recht ermessen, wie sehnlich man auf ihn gewartet hatte, Geschlecht um Geschlecht. Er, der kleine König aus Rußland, wollte ihm beileibe nicht vorgreifen, sicher verstand er sich nicht so gut aufs Regieren wie jener, obschon der erst einmal ein Kind sein würde, aber wenn die Not ihn gar zu grausig dünkte, dann streckte er etwas aus dem Huldigungsschatz für den Allherrscher vor, sie zu lindern, und sagte bisweilen auch, daß der Dank, den er erntete, nicht ihm, sondern dem anderen, dem großen Kommenden, gebühre. Auf diese Weise schrumpfte sein Vorrat an Ledersäcklein mit Gold mehr und mehr zusammen, und er konnte sich ausrechnen, daß der Tag nicht fern war, da er anfangen mußte, Edelsteine in Münzgold zu wechseln.

Dieser Tag kam dann noch viel eher, als er ausgerechnet hatte. Denn als er eines Abends

mit ansehen mußte, wie zwei riesige, feiste Aufseher die ausgemergelten, leibeigenen Arbeiter und Arbeiterinnen einer Pflanzung, die nach der Meinung der beiden nicht rasch genug gearbeitet hatten, mit einem Hagel von Stockschlägen bedachten, unter denen nicht wenige wie tot zusammenbrachen, kaufte er kurzerhand die ganze Schar los.

Das war nun freilich ein Geschäft, das nicht nur viel Geld brauchte, sondern auch mehr Zeit raubte, als er zwischen Abend und Sternaufgang besaß, und zum erstenmal auf der ganzen Reise blieb der kleine König an diesem Ort über Nacht. Er saß zwischen den Freigekauften, die ihn als ihren Erlöser feierten, und sah den Stern über den Himmel wandern, seinen Stern... Aber er ritt ihm nicht nach. Wanjka, der es gewohnt war, um diese Zeit zu traben, verwarf unruhig den Kopf und wunderte sich sehr.

Am andern Tag ritt der kleine König zum ersten Male beim hellen Sonnenschein weiter, obschon er nichts besaß, was ihm den Weg weisen konnte, als sein eigenes Gutdünken. Aber er hatte den Ort, da er als Erlöser gefeiert worden war, rasch hinter sich bringen wollen. Eine tiefe Falte der Nachdenklichkeit kerbte ihm die Stirn, als er auf dem in der ungewohnten Sonne blinzelnden Wanjka dahinritt. Er fragte sich nämlich, ob das Gute auch immer das Richtige sei ... Die Freigekauften waren schon am frühen Morgen zu ihm gekommen und hatten gefragt, wer ihnen jetzt zu essen gäbe. Als Leibeigene waren sie es gewohnt, daß ihre Aufseher und Peiniger nicht nur den Stock der Strafe, sondern auch die Suppenkelle schwangen, und an diesem ersten freien, arbeitslosen Morgen ihres Lebens hatten sie weder das eine noch das andere geschmeckt. Nun waren sie hungrig, sie wollten essen ... Der kleine König hatte ihnen, bevor er davongeritten war, noch einmal Geld gegeben, davon sie sich Essen für drei Tage kaufen konnten. Und dann, hatte er ihnen gesagt, sollten sie die Arbeit von freien Menschen verrichten. - Schon auf der ersten Meile hinter dem Ort begann er zu zweifeln, ob sie das tun würden. Vielleicht waren sie das Sklavendasein zu sehr gewohnt, als daß sie noch als Freie zu leben vermochten, und würden sich vielleicht noch einmal freiwillig selbst verkaufen, um der

Suppenkelle sicher zu sein, die immer kam, der Stock nur bisweilen.

An diesem Tag, im hellen Sonnenschein, zählte der kleine König die Säcklein, die er noch besaß, und erschrak. Es waren ihrer viel weniger, als er gedacht hatte, viel weniger. Vielleicht, dachte er, sich selber zur Entschuldigung, hat man mich einmal tagsüber bestohlen, ohne daß ich's gemerkt habe? Ich habe so einen festen Schlaf, und wenn ich von Kwaß und Gurken träume, könnte man mich einfach wegtragen! Gar nicht davon zu reden, daß einer die Packtaschen öffnen könnte... Im Grunde aber glaubte er selber nicht daran, es waren nur Ausflüchte seines Gewissens.

Er beschloß, sehr sparsam zu sein und den Schatz des Allherrschers nicht mehr anzugreifen, damit der keine gar zu geringe Meinung von seinem Lande bekomme. Und außerdem, tröstete er sich ein wenig zu eifrig, besaß er ja immer noch ein paar Rollen von dem feinen Linnen und das Pelzwerk und das Krüglein Honig, das allein vieles, vieles aufwog, weil es von den runden, goldpelzigen russischen Bienchen in einer Linde gesammelt worden war.

Aber... Schon bevor es Abend geworden war, hatte der kleine König sich wieder einmal gegen die eigenen guten Vorsätze vergangen und verzagte an sich selbst. Er hatte ein paar Aussätzigen, die ihn sehr gedauert, eine ganze Rolle von seinem feinen Linnen zu Binden zerschnitten, mit denen sie ihre eiternden Schwären bedecken und also auch hoffen konnten, daß ihre Plagen unter den Schwärmen ekler Fliegen gelinder würden.

Jetzt komme ich ins Gebirge, dachte der kleine König, da wird die Luft reiner sein, ich werde keine Fliegen auf den eiternden Schwären der Aussätzigen zu sehen bekommen, und folglich werde ich auch die Versuchung loswerden, noch einmal etwas wegzugeben. Aber je leichter er von seinen Versuchungen und Schwächen loszukommen trachtete, desto schwerer wurde ihm das gemacht. Schwächen sind es ja eigentlich auch gar nicht, dachte er bei sich selbst. Was kann einer dafür, daß Gott ihm ganz andere Notwendigkeiten über den Weg schickt als anderen Menschen! Es sollte mich wundern, wenn der größte aller Könige dafür kein Verständnis hätte. Huldigungsgaben sind gut und schön, aber daß seinen künftigen Untertanen beizeiten geholfen wird, ist doch noch besser. Und außerdem: wenn ich ihm erzähle, was ich eigentlich alles hatte mitbringen wollen - wie wird er mir nicht glauben! - So knüpfte er sich von einer Meile zur anderen ein immer feineres Netz von Rechtfertigungen, warum er gerade so habe handeln müssen, wie er's getan, und immer weiter so handeln müßte. Der Abend, da er ins Gebirge aufbrach, ging dunkel und wolkenschwer herein, denn der Winter war nahe. Ein einziges Mal, beim Aufbruch, sah der kleine König seinen Stern, dann wurde ihm der von Regen verborgen. »Spring, Wanjka, spring! Beiß ihn in den Schwanz!« rief der kleine König da noch keck und trieb Wanjka zur Eile, aber die ganze Nacht ritt er in die Irre und mußte am Morgen froh sein, daß er Wanjka und seine Glieder heil beisammen hatte, so unwegsam und wüst war die Gegend gewesen. Und als die Sonne aufging, fand er den überfallenen Kaufmann, den die Räuber, die in diesen Bergen hausten, am Abend vorher niedergeschlagen und bis aufs Hemd geplündert hatten.

»Oi, Freundchen«, sagte der kleine König voller Mitleid, »du siehst aus wie ein Engelchen, das sich aus dem Himmel verflogen hat, so nackt wie du bist. Dir wird man um der Barmherzigkeit willen helfen müssen.«
Erst verband er den Verwundeten. Wollte es seinen Ohren auch scheinen, das feine Leinen schreie förmlich auf, wenn er von einer Rolle die Binden abriß, so schalt er's in seinem Herzen und befahl ihm, stille zu sein, denn Blut zu stillen solle es sich als höhere Ehre anrechnen, als die Notdurft eines Kindes zu sammeln. - Dann labte er den Verletzten mit Essen und Trinken.
»Aber nackt wie ein Engelchen bist du immer noch geblieben«, sagte der kleine König und kratzte sich hinter dem Ohr. »Wanjka«, sprach er weiter, »hat einen schönen und langen Schwanz und eine dichte und zottige Mähne. Aber schnitte ich ihm auch alles hier auf der Stelle ab, könnte ich dir immer noch kein Kleid daraus weben... Es wird nichts helfen, es werden ein paar Pelzchen daran glauben müssen, und noch eine Rolle vom Leinen, sonst erfrierst du.«
So ging es zu, daß der überfallene Kaufmann im feinsten Hochzeitsleinen und in Zobel

gekleidet aus seinem Unglück zu den Menschen zurückkam und der kleine König mit beinahe leeren Packtaschen seinem Stern nachritt. Und jetzt war es beinahe, als hätten seine Taschen Löcher bekommen, so rasch ging auch das letzte dahin. Als der kleine König ein Jahr unterwegs gewesen war, konnte er in allen Taschen den Boden fühlen. Das Leinen war den Nackten und Kranken zugekommen, die Pelze den Frierenden, das Gold und die Edelsteine - bis auf die Perlen, die er im ersten Übermut gesät - den Bedürftigen und Gefangenen. Einzig die Gabe der Mutter, das irdene Krüglein mit Honig, war übrig, und darin ließ der kleine König die Sonne sich spiegeln, als er den Deckel vorsichtig gelüftet hatte.
Er saß am Wegrand, ließ Wanjka grasen, der in der letzten Zeit kaum je Hafer gekostet und noch struppiger als früher und bedenklich mager und ein Pferdejahr älter geworden war, was mehr gilt als ein Jahr unter Menschen. Verzückt schaute er in den glänzenden Spiegel des gelblichen Nektars und sah im Geiste das grün-goldene Feuer der blühenden Linden daheim, wie sie dastanden und in der Sonne badeten, jede einzige

eine Wolke von Duft und Gesumm. Den kleinen König überwältigte ein unendliches Heimweh. Ach! dachte er bei sich, lieber eine kurzlebige Biene daheim sein als ein unbekannter König in fremdem Land! Und lieber den Linden nachfliegen, als den Sternen nachlaufen! Jetzt war er schon ein Jahr unterwegs und sah noch immer kein Ende ab. Die Fremde war ein Elend geworden, das Neue schal, und seitdem er alles, was er besessen, verschenkt hatte, sprach er eigentlich nur noch mit Wanjka. Er war so einsam geworden, wie er sich's gar nicht hatte vorstellen können.

Die erste wilde Biene, die, nach dem Winter heißhungrig und vom Duft der russischen Linden gelockt, sich auf den Rand des irdenen Krügleins setzte und Honig sog, sah er noch nicht, oder sie flog zu rasch wieder fort, als daß er sich Gedanken darüber gemacht hätte. Erst als drei und vier und dann dreißig und vierzig und immer mehr dahergesummt kamen, merkte er, daß man, nachdem er nichts mehr schenken konnte, ihm das letzte, was er besaß, rauben wollte. »Weg! weg!« schrie der kleine König und fuchtelte mit beiden Händen und suchte nach dem Deckel, den er beiseite gelegt hatte, ohne ihn finden zu können, denn ohne daß er's gemerkt hatte, saß er darauf. Unterdessen hatte der glänzende Spiegel seines Honigs sich mit Bienen bedeckt, und alle schleckten sie den heimischen Honig. Als der kleine König zugriff und mit dem Krüglein in der Hand aufsprang, stand er alsbald in einer wahren Wolke von blitzenden Flügeln, und je mehr er das Krüglein schwenkte und die Lüsternen abzuwehren versuchte, desto ärger stachen sie ihn.

»Weg! weg!« schrie der kleine König abermals, aber diesmal galt das ihm selbst. Er wollte auf Wanjkas Rücken entfliehen und so das Krüglein in Sicherheit bringen. Doch Wanjka... Wanjka, selber von Bienen bedrängt, galoppierte längst irgendwo mit gesteiltem Kopf, wild ausschlagend und den Hals verwerfend gegen den Wind über die Felder, um sich dann am Boden zu wälzen und jene geflügelten Feinde, die sich in seiner Mähne verfangen hatten, dadurch unschädlich zu machen, daß er sie zerdrückte. Der kleine König sah ihn kaum, denn von den vielen Stichen, die er erhalten hatte, schwollen ihm schon die Augen zu. Seine Rechte hielt immer noch das Krüglein, aber ihm war, als hielte er diese Hand, die ein einziges Gewimmel von Bienen war, in flüssiges Feuer. Ja, ja, dachte der kleine König mehr traurig als zornig, freßt nur, freßt mich nur bei lebendigem Leibe auf! Er war so todtraurig, daß er hätte weinen mögen, wenn seine Augen es nur noch hätten können. Aber sie konnten es nicht mehr, schon staken zu viele Bienenstachel in den geschwollenen Lidern. Er konnte nichts anderes, als stillhalten: dem glühenden Schmerz, der Traurigkeit, dem Dunkel, in welchem für ihn die ganze Welt mitsamt der Sonne untergegangen war. Und so blieb er sitzen und hoffte, daß niemand ihn in seinem Elend finden und daß das Pferdchen wieder zu ihm kommen würde, wenn die Bienen es nicht mehr plagten, denn außer Wanjka besaß er ja nichts mehr. In seinem Herzen war nichts als Hader: mit der Verheißung, die ihn hatte aufbrechen lassen, mit dem Stern, der nicht hatte stillstehen wollen, mit dem größten König aller Zeiten und Zonen, der ihn von so weither bestellt, mit der Fremde, die ihn so trügerisch genasführt, mit den drei Königen, die ihn im Stich ge-

lassen hatten, wie er meinte, und mit der Undankbarkeit jener, denen er wohlgetan... Nur mit sich selber haderte er nicht.
Was für ein Tag es war, an dem seine Augen sich wieder für ein Spältchen öffneten, daß er das Licht der Sonne zu sehen vermochte, wußte er nicht. Es war sehr lange dunkel um ihn gewesen, er hatte die Tage und die Nächte in Fieber und Schmerzen nicht zu zählen vermocht. Als er die Welt wiedersah, schien sie ganz die gleiche zu sein wie damals, als die Bienen ihn überfallen hatten. Wanjka weidete in seiner Nähe, der Sattel hing schief von seinem tief eingerittenen Rücken herab, und die Packtaschen waren schlaff wie leere Bälge. Mit dem ersten Blinzeln durch die abschwellenden Lider aber hatte der kleine König gesehen, daß das Honigkrüglein in seiner rot aufgeschwollenen, unförmigen Rechten leer war - ganz leer. Und keine Biene war weit und breit zu hören. Da warf er in nachtschwarzer Verzweiflung das Krüglein der Mutter in hohem Bogen weg, daß es an den Felsen zerschellte, ging mit taumelndem Schritt auf Wanjka zu und gab ihm als ersten Willkomm einen Tritt auf die Kruppe. Dann schwang er

Мёд

sich in den Sattel und jagte, zum ersten Male wieder mit Tränen in den Augen, von dem Ort seines letzten Unheils davon. Er verfluchte alle Kreatur und die Schöpfung, die ihn bestohlen.

Wenige Tage später aber kniete er neben Wanjka, dem er in seiner Verzweiflung so unrecht getan hatte und der jetzt, alle Viere von sich gestreckt, krank auf dem Boden lag und nicht mehr aufstehen wollte, und sprach mit ihm. »Wer«, sagte der kleine König und sah dem Pferdchen in die Augen, in deren unergründlichem Blick schon blaue Schleier dahinzuwehen schienen, »wer wird mich zu meinem Stern bringen, und wer wird mich zurücktragen in die teure Heimat, wenn nicht du, Freund? Verzeih mir den Fußtritt von neulich! Ich habe ihn mir nicht selber geben können, aber so war er gemeint, glaub mir!« - Wanjkas Nüstern bebten leise, als schnoberte er den Duft vom Heu der heimatlichen Weiden, sein Kopf steilte sich, und er streckte alle Viere noch länger von sich, daß die Fesseln knackten und er beinahe wie ein richtiges Pferd aussah. - »Du kannst nicht antworten«, sagte der kleine König, »ich weiß, aber so gering-

schätzig zu lachen brauchst du nun auch nicht, wenn ich dich frage«, denn er meinte, Wanjka hätte seine Zähne beim Lachen entblößt. Doch da war Wanjka schon tot.
Als dem kleinen König das aufgegangen war, saß er noch viele Stunden neben dem vierbeinigen Freund und liebkoste seinen gespannten, immer steiferen Hals und spielte mit dem Zotteldickicht der Mähne. Einmal raffte er den dichten Vorhang der Stirnlocken beiseite und wollte ihm in die Augen blicken. Aber das fremde, glasige Dunkel darin hielt er nicht aus. Dabei mußte er nur an den schelmischen Trotz, an die Neugier und an die treue Geduld denken, die früher darin gewohnt hatten. Er ließ die Locken zurückfallen, stand auf und war viele Stunden damit beschäftigt, von weit und breit her Steine zusammenzutragen, die er über den toten Freund häufte, damit nicht das wilde Getier seinen Schlummer unziemlich störe. Die untersten Steine lehnte er ganz behutsam gegen Wanjkas erkaltete Flanken und entschuldigte sich fortwährend, wenn sie ihn drückten. Und dann setzte er sich neben den steinernen Hügel und wartete auf den Stern.

Der Stern kam in der ersten Nachtstunde nicht und nicht in der zweiten, nicht in der dritten und nicht in der vierten, der König mochte sich die Augen ausstarren, soviel er wollte, und den Wind schelten, der ihn weinen machte. Erst geraume Zeit nach Mitternacht sprang er auf und hastete in der Finsternis davon. Aber wie schnell er auch sprang - so schnell wie Wanjka vermochte er's nicht, und er wurde sich klar darüber, daß die Reise jetzt noch länger dauern würde. Doch auch damit waren seine Sorgen nicht zu Ende. Was in der ersten Nacht nach Wanjkas Tod geschehen war: daß der Stern erst dem Morgen zu erschien, wiederholte sich jetzt Nacht für Nacht. Ja, der Stunden, da der Stern - tief über dem Horizont gen Süden - sichtbar war, wurden es immer weniger, wenn er sich das auch nicht eingestehen wollte. Sein Schweif hing nicht mehr ins Firmament hinab, sondern stützte sich irgendwo dort vor ihm im Süden auf die Erde, dort wo... Dort, wo... Der kleine König rannte förmlich durch die Nacht, daß weit und breit die Hunde argwöhnisch heulten und die Wächter stutzten. Was hat das alles genutzt, dachte er verbittert, Hungrige zu speisen, Nackte zu kleiden, Gefangene zu befreien, alles zu verstreuen und dabei nur die Tränen des eigenen Unglücks zu säen... König zu werden über das Herz eines Bettelweibes, haha! Darauf habe ich mir einmal etwas eingebildet, ich Narr! Jetzt komme ich trotz allem zu spät, und komme ich zurecht, dann bin ich ein Bettler, den man nicht vorläßt!

Einmal dann, gar nicht viel später, kam für ihn die längste Nacht seines Lebens: die Nacht, da der Stern überhaupt nicht erschien, so wolkenlos klar das Dunkel auch war. Da saß der kleine König vom Einnachten bis zum Morgengrauen auf einem Fleck. Tagsüber ging er weiter, aber mehr nach seinem Gutdünken als nach einer himmlischen Weisung, und als er sich eine zweite Nacht vergeblich die Augen ausgestarrt hatte, schlich er in der Morgenfrühe zu einem Stall und schlief. Die Streu war noch warm von den Leibern der Tiere, die hier genächtigt, und er dankte Gott für die Wohltat, die er ihm bereitet.

Von der zweiten Nacht an, in welcher der Stern nicht mehr leuchtete, konnte man eigentlich sagen, daß der kleine König aus

Rußland eine Art Landstreicher wurde. Er ging und ging, ging tagsüber und nachts, ging mal mit Hoffnung im Herzen und mal mit Trotz und Verzweiflung oder mit Kummer, aber er hatte kein rechtes Ziel mehr, weder in seiner Seele noch vor Augen. Und je weniger ihm sein Ziel vor Augen und im Herzen stand, desto mehr verstrickte er sich in das Unglück und die Händel der Welt, die ihn hier ärger dünkten, als ein König - und sei es der allergrößte aller Zeiten und Zonen - sie je zu bessern vermöchte. Und deshalb ging es mit ihm dann auch so, wie es ging.

Er war eines Morgens ans Meer gekommen, in eine fremdartig schöne Hafenstadt, und hatte vom Morgengrauen an drunten am Wasser gesessen und zugeschaut, wie die Morgenröte sich gleich Perlmutter in den Wellen brach. Ach! hätte er noch Perlen gehabt, sie und etwas von ihrem Glanz hinzuzuwerfen! Dann war er Zeuge eines wilden Auftritts geworden. Eine Galeere, die im Hafen lag, war zur Abfahrt bereit; nur fehlte ein Mann. Der Mann an den Riemen, der fehlte, war tot. Er war ein säumiger Schuldner des Schiffsherrn gewesen,

und jener hatte ihn durch das Gericht dazu verurteilen lassen, auf einer seiner Galeeren zu dienen, bis er mit der Kraft seiner Arme die Schuld abverdient habe. - Diese Arme waren nicht stark genug gewesen, der ganze Mann nicht zum Galeerendienst tauglich. Ehe das Schiff hier angelegt, hatte man seinen Leichnam ins Meer werfen müssen. Nun aber kamen der Schiffsherr und seine Knechte und führten zwischen sich den halbwüchsigen Sohn des Toten, der in des Vaters Fessel geschmiedet werden sollte, und nebenher ging seine noch junge Mutter und flehte den Schiffsherrn um Erbarmen an. Der erwiderte barsch, daß er von nichts wissen wolle, als daß der Sohn alsogleich in des Vaters Fesseln träte.
Der kleine König, abseits, hörte sich das alles an und sah mit Grimm und Gram in seinem Herzen zu. Die junge und, wie ihn dünkte, schöne Witwe dauerte ihn, und sie rührte ihn in ihrem Schmerz um den halbwüchsigen Sohn, dem man heute schon ansehen konnte, daß er dem Vater bald ins Grab folgen würde. Wie ein Schaf, das zur Schlachtbank geführt wird, stand er hilflos und untätig da und schaute bald die Mutter, bald

seine Häscher an, während seine Mutter den Schiffsherrn beschwor, sie wäre, wenn er ihr den Knaben nähme, ohne Ernährer.
»Erst abverdienen, was schon aufgegessen ist!« schrie der Schiffsherr roh lachend, oder ob sie vielleicht selbst kommen wolle? Das gäbe einen Spaß!
Der kleine König betrachtete die junge Frau. Ihm fielen mit einemmal so viele junge Mädchen daheim in seinem eigenen Land ein, die er mit Wohlgefallen angesehen, um die er aber nie gefreit hatte. Er stellte sich vor, wie schön es sein könnte, an der Seite einer sanftmütigen und treuen jungen Frau, wie es diese gewiß war, zu leben, bei Tag und bei Nacht... Und als der Schiffsherr an der Hafenbrücke Befehl gab, den Knaben ins Schiff zu bringen und ihn in die Fessel zu legen, jetzt eile es ihm, denn der Morgenwind wehe günstig, sprang der kleine König von seinem Platze abseits hervor und trat unter die Leute.
Dann gehe er statt des Knaben, sagte er leise und blickte den Schiffsherrn herausfordernd an.
Das erste, was er hörte, war ein höhnisches Lachen. Dann hatten die Augen des Schiffs-

herrn ihn eingeschätzt, wie der Metzger ein Stück Vieh betrachtet, das ihm zur Schlachtung geboten wird. - Oho! traue er sich's zu? Er solle es sich dreimal überlegen, sagte der Schiffsherr, die Reise sei nicht so bald zu Ende, wenn er die runde Zeche, die ihm sein Vorgänger eingebrockt, bis zum letzten Heller bezahlen wolle. Und für Leute mit seinem aufrührerischen Blick käme manchmal noch ein Draufgeld hinzu... Ihm sei es sonst recht. - Er hatte nämlich mit einem einzigen Blick erkannt, daß der kleine König ein besserer Ruderknecht sein würde als der halbwüchsige Knabe.

Der kleine König blickte die junge Witwe an, deren Augen überweit geworden waren von Bestürzung und Hoffnung. Er sah, daß sie schön war und daß die Hoffnung für ihren Knaben sie unter ihren Tränen nur noch schöner machte. Er hätte sie lieben mögen bis ans Lebensende, wenn er selbst nur noch Hoffnung genug für sein Leben gehabt hätte.

»Es bleibt so«, sagte er dann leise, kehrte sich ab und stieg ins Schiff hinunter, wo der Galeerenvogt ihn in die Eisen schloß.

Nun kam die Zeit im Leben des vierten Königs, von der so schnell erzählt ist und die zu leben doch so lange, so grausam lange währte, beinahe dreißig Jahre lang. Dreißig Jahre auf der Galeere! Er war arglos gewesen, als er sich für den halbwüchsigen Knaben der Witwe in die Fessel des Toten hatte schließen lassen, und hatte gar nicht nach der Höhe der Schuld gefragt, die der Tote ihm hinterlassen, und wie lange er rudern müsse, um sie abzudienen. Als die Eisen sich erst einmal um seine Knöchel geschlossen hatten, bekam er, wann immer er fragte, zur Antwort: »Noch längst nicht!« Jahr um Jahr hatte er sich ›noch längst nicht‹ genug geschunden, Bank an Bank mit aller Welt Abschaum und den Unglücklichen, die durch Torheit oder Arglist hier geendet. Zweimal in diesen dreißig Jahren gelang es ihm zu fliehen, aber beide Male wurde er wieder gefangen, weil seine jahrelang in den Eisen eingeschlossen gewesenen Füße ihn nicht rasch genug hatten von der Küste wegtragen können. Für beide Fluchtversuche wurde die Zeit verlängert, mit der er die Schuld des Toten abzudienen hatte, obschon ihm klar war, daß diese ›Schuld‹ nur noch ein Vorwand war. Un-

zählige Male, wenn er Willkür und Unrecht grausam unter den Gefährten seines Unglücks wüten sah, zettelte er Aufruhr an und mußte ein jedes Mal jenes ›Draufgeld‹ auf die Zeche zahlen, das ihm der Schiffsherr an dem Morgen in dem fremden Hafen vor den Augen der jungen Witwe für seinen aufrührerischen Blick schon vorausgesagt hatte. Der Schiffsherr, unter dem er eingetreten war, starb; der Sohn erbte ihn als fleißigen, ob auch störrischen Ruderer, und nach etlichen Jahren, als auch die Vögte ein paarmal gewechselt hatten, gab es niemand mehr, der noch wußte, daß er ja eigentlich nur für einen anderen auf die Bank geschmiedet dasaß und nur so lange zu fronen brauchte, bis die Schuld des Toten getilgt war. Und dieses: allmählich in Vergessenheit zu geraten mit seinem Opfer und letztlich gleichsam nur zur stummen Einrichtung des Schiffes zu gehören, war vielleicht das schlimmste und das schwerste für den kleinen König. Dieses Vergessen löschte ihn selber als Menschenwesen aus. Von da an erlosch er zusehends selber und wurde seinem eigenen Schatten gleich. Aus den tief eingesunkenen Augen des abgemagerten Gesichts konnte er vor sich hinstarren, ohne daß jemand zu sagen vermocht hätte, ob er überhaupt etwas sah, ja ob er lebte. Sein Blick glich mit jedem Jahr mehr jenem, den er vor langer, langer Zeit eines Morgens in den großen Augen Wanjkas gesehen und damals nicht zu ertragen vermocht hatte. Und doch: mochten andere es auch nicht gewahren können - er sah etwas, und er lebte darin, nur noch darin. Er sah noch einmal und immer wieder den Stern, um dessentwillen er vor vielen Jahren aus der teuren Heimat aufgebrochen war, sah ihn bei Nacht und bei Tag jetzt, denn das Licht war dunkel genug, daß er ihn auch tagsüber, wie aus einem tiefen Brunnen, zu erkennen vermochte, und alles Dunkel, das ihn unaufhörlich in der fiebrigen Hitze unter Deck auf der Ruderbank umgab, wurde für ihn von seinem Glanze zerteilt. Er bedachte alle Wege, die er geritten war, und vor allem jenen Morgen, da ihn der fremdländische König aus dem Osten gefragt hatte, warum er seine Tränen in die fremde Erde säe.

Ich behalte ja noch mein Lachen, hatte er damals töricht zur Antwort gegeben; jetzt hatte er's lange verloren, auch das; wie die Perlen, das Gold, die Edelsteine, die Pelze und das Linnen. Und an das Königreich, das die Bettlerin ihm in ihrem Herzen bereitet hatte, wie sie gesagt, konnte er nicht mehr glauben und nicht darauf hoffen.

Unsägliche Reue erfüllte seine Jahre. Er hatte alles vertan, wie er meinte, er hatte sinnlos verschwendet. Gar nicht zu reden davon, daß er nicht des Allherrschers Vasall werden konnte - er war nicht einmal mehr der Krone in der Heimat würdig. Längst hatte sie sich gewiß auch ein anderer aufgesetzt, und er war vergessen. Nur wunderte er sich von Jahr zu Jahr mehr, warum die Herrschaft des größten Königs, dem zu huldigen er ausgezogen war, sich gar nicht mit einer Wende zum Besseren in ihrem elenden Leben auf der Galeere bemerkbar machte.

Und dann sah er die junge, schöne Witwe vor sich, um deretwillen er einst darin eingewilligt hatte, ein Ruderer der Galeere zu werden. Er hatte sich längst klargemacht, daß es nicht geschehen war, um das Los des Knaben zu lindern, sondern um der Frau, der Mutter, ein Zeichen seiner jäh

erwachten Liebe zu geben. Und er fand, das Licht des Sterns dürfe und könne auch dieses Gesicht bestrahlen, und da habe er nichts zu verbergen oder zu bereuen. Aber wo war sie? Sicher hatte sie ihn längst vergessen, dachte keinen Augenblick mehr an den Fremden, der ihr den Ernährer erhalten, oder hatte längst abermals einen Mann genommen - das Königreich ihrer Liebe verschenkt, wie die Bettlerin ihr Herz gewiß dem Nächstbesten, der ihr nach der Begegnung im Stall ein paar Münzen geschenkt, obschon sie es ihm versprochen und abgetreten. Ach! der Gedanken waren viele und der Nächte und Tage in beinahe dreißig Jahren, sie zu denken, noch mehr. Darüber fiel eine kräftige Rudererbrust ein, ging der Atem mühsam wie aus einem zerlöcherten Balg, wurden erst die Schläfen vorzeitig grau und dann der ganze Kopf, und die Augen sanken glanzlos tief ein in den Höhlen, während die Haut unter den schweren Fesseln allmählich zu Leder geworden war.

Als man den kleinen König eines Tages aus dem Dienst entließ, mußte man ihn an Land tragen. Er taugte nicht mehr für die Galee-

renbank, er taugte nur noch zum Sterben. Aber der Hafen, in dem er an Land getragen wurde, war der gleiche wie vor beinahe dreißig Jahren, in welchem er sich auf der Galeere hatte in Fesseln schmieden lassen.
Er lag ein paar Stunden, gegen einen Prellstein gelehnt, im Schatten und ließ den Wind um sich wehen, den er nach der dumpf-unbewegten Fieberhitze unter Deck in dreißig Jahren unsäglich genoß. Vor dem flimmernden Silberspiegel der See schloß er die Augen. Er hatte ihre mörderische Grausamkeit kennengelernt, ihr Lächeln konnte ihn nicht mehr verführen. Die Hafenhunde beschnüffelten ihn und hoben ihr Bein an seiner Schulter, er verjagte sie nicht. Er mußte erst wieder zum Leben erwachen. Zwischendurch schlief er wohl auch etliche Male ein. Daß er auf eigenen Füßen aus dem Hafen würde weggehen können, glaubte er nicht. So bald trugen ihn die eigenen Füße noch nicht. Er hatte sie jahrelang kaum benutzt. Aber er wollte zufrieden sein, wenn er hier liegenbleiben und einmal für immer einschlafen durfte. Doch gegen Abend kam ein dem Anschein nach wohlhabender und,

nach den Dienern, die ihn begleiteten, sehr angesehener Mann an seinem Prellstein vorbei, blieb stehen, betrachtete ihn lange und fragte ihn dann, woher er komme.
Der kleine König hob nur stumm seine Hand und deutete vor sich hin aufs Meer. Von dorther komme er. - Sprechen mochte er nicht.
Sei er von einer Galeere entlassen? fragte der Mann, der mittlerweile mit Schaudern die lederhäutigen, nackten Knöchel betrachtet hatte, die dreißig Jahre lang in Eisen eingeschlossen gewesen waren.
Der kleine König nickte stumm. - »Heute, ja«, war alles, was er dann zu sagen vermochte.
»Könnt Ihr selbst gehen?« fragte der Mann.
Der kleine König schüttelte mit einem verzagten Lächeln den Kopf. Das bedeutete: Nein.
»Holt eine Sänfte!« sagte der Fremde zu zweien seiner Diener. Jene gingen, ein dritter blieb noch bei ihm. Und er sprach weiter: »Von heute an werdet Ihr bei mir wohnen, bis man Euch gesund gepflegt hat.«
Der kleine König glaubte nicht recht zu hören. Er wollte dem Fremden danken, doch

bevor er noch ein Wort über die Lippen bringen konnte, sagte der: »Dankt nicht mir! Und jene, der Ihr danken könntet, lebt nicht mehr. Es war meine Mutter. Sie hat mir bis an mein Lebensende zur Pflicht gemacht, alle, die von den Galeeren entlassen werden, bei mir aufzunehmen und pflegen zu lassen, bis sie wieder zu Kräften gekommen sind. - Immer habe ich diesen letzten Willen von ihr nicht gern erfüllt«, sagte er streng, »und so wird das wohl auch bleiben, denn es sind meist rechte Galgenvögel, die sie von den Galeeren hinauswerfen und die besser im Gefängnis daheim wären als in meinem gesitteten Hause, aber... Nun ja, meine Mutter meinte, sie habe einmal auch einen guten Menschen auf die Galeeren gehen sehen, und um seinetwillen hat sie mir das Versprechen abgenommen, das ich erfülle. Seid Ihr anders als Eure Vorgänger, so wird das ihr Gedächtnis ehren und mir ihre weichherzige Weiberlaune nicht mehr ganz so töricht erscheinen lassen wie früher.«
Der kleine König lag gegen den Prellstein gelehnt und schaute dem reichen Mann in die Augen. Er schwieg lange Zeit, die Erinnerungen an den Morgen vor beinahe drei-

ßig Jahren überwältigten ihn, und er forschte in dem Gesicht des Mannes, der vor ihm stand, nach den Zügen des hilflosen Knaben von damals, der wie ein Schaf vor der Schlachtbank gestanden hatte. Dann sagte er, beinahe flüsternd: »Soso, so also war Eure Mutter, Herr...? Ich habe...« Aber er sprach nicht weiter, er wollte sich nicht verraten. Ich habe es mir schon damals gedacht, ich habe es immer gewußt, dreißig dunkle Jahre lang habe ich das gewußt, hatte er sagen wollen. - »Ich will Eurer guten Mutter keine Schande bereiten«, sagte er schließlich, »Ihr seid gewiß der älteste ihrer Söhne...?«

Der Fremde nickte. »Ja«, sagte er dann, »es ist nicht immer leicht, der älteste Sohn zu sein, das bringt so manche mißliche Pflicht mit sich...«

Der kleine König hätte darauf so manches zu sagen gewußt, aber zum Glück enthoben die beiden Diener, die mit einer einfachen Sänfte kamen, ihn der Versuchung, Antwort zu geben, und ächzend ließ er sich von ihnen aufladen.

Von jenem Tage an lebte der kleine König in einer abgelegenen Kammer im Hause des reichen Kaufmanns, der wider Willen den letzten Wunsch seiner Mutter erfüllte und auch nicht müde wurde, aller Welt zu versichern, er tue das sehr ungern, denn er glaube nicht daran, daß auch nur einer, der seiner Wohltaten teilhaftig werde, ihrer im geringsten wert sei, vielmehr gehörten sie alle von der Galeerenbank ins Gefängnis und von dort geradewegs auf den Schindanger. Er war ein harter Herr, der reiche Kaufmann, der sich aus kleinen Verhältnissen und einer durch die Schulden seines früh verstorbenen Vaters bedrängten Kindheit schwer hatte emporarbeiten müssen, aber sein Reichtum und Erfolg stopften jenen Leuten den Mund, die sagen wollten, sein eigener Vater sei auf einer Galeere geendet, und der Mutter hielt er das Wort, das er ihr einmal gegeben.

Alles das bekam der kleine König von den Dienstleuten zu erfahren, während er still wie ein Schatten in seiner abgelegenen Kammer hauste und ganz allmählich wieder zu Kräften kam. Er verweilte mit seinen Gedanken ganz in der Vergangenheit, und da die Frau, um deretwillen er sich einmal in Fesseln hatte legen lassen, nun tot war, be-

saß er nur noch den Stern und den großen König und fragte sich, wie es wohl mit dem gegangen sein könnte.
»Ihr seid die Ausnahme von der Regel gewesen«, sagte der reiche Kaufmann widerwillig anerkennend, als der kleine König zu ihm kam, um ihm zu danken und sich zu verabschieden - »wenn sich nicht noch hinterher herausstellt, daß Ihr nur etwas geschickter dabei zu Werke gegangen seid, ein Spitzbube zu sein, als Eure Vorgänger«, fügte er mißtrauisch hinzu. »Aber möge es einmal beim ersten bleiben«, sagte er dann, »ich wünschte es, um meiner Mutter willen.«
»Ich auch«, pflichtete der kleine König ihm bei. »Gesegnet sei ihr Andenken!«
Der Kaufmann blickte ihn etwas verdutzt an, solche Worte hatte er nicht erwartet, aber da hatte der kleine König sich schon abgewandt und ging. Er wollte seine Tränen nicht zeigen.
Er ging wieder auf die Landstraßen hinaus, auf denen er einst daheim gewesen, bevor die Galeerenbank sein Platz im Leben geworden war. Von früher her wußte er noch, wo sein Stern zum letzten Male geleuchtet

und seinen langen, goldenen Schweif auf die Erde gestützt hatte. Wie aus alter Gewohnheit, die wieder erwacht war, ging er in dieser Richtung. Und mit der Wahl dieser Gewohnheit schien er auch nach dreißig Jahren das Rechte getroffen zu haben, denn er mußte sich wundern, wie voll von Leuten die Straßen waren. Entweder waren der Landstreicher soviel mehr geworden als früher, oder die Straßen gen Süden führten hier zu einem besonders lockenden Ziel. Er hielt Umschau unter den Leuten und fand bald heraus, daß es keine Landstreicher waren, im Gegenteil: gutbürgerliche und kleinbürgerliche Leute, die bei dem schönen Frühlingswetter in ganzen Familien ausgezogen waren, einer großen Stadt im Süden entgegen, wo sie an einem Fest teilnehmen wollten. Natürlich schwemmte der Strom der Festteilnehmer auch so manche von der Zunft jener mit, die sich überall einstellen, wo Müßiggang und Festfreude im Schwange sind: Bettler und Bettlerinnen, Gaukler und Händler.

Der kleine König überholte bisweilen einen, der sich nur ächzend vorwärtsschleppte, um diesen großen Markt noch zu beschicken, welcher vielleicht der letzte seines Lebens sein, ihm aber bestimmt noch soviel Almosen einbringen würde, daß er davon bis zu seinem Ende ohne Hunger leben konnte. Ein anderes Mal überholten rüstigere Wanderer ihn und sahen mit der Schadenfreude von stärkeren Mitbewerbern auf ihn herab, der erst viel später als sie anfangen würde, vom Mitleid der Leute zu ernten. Einzig und allein die Gestalt einer alten Frau blieb tagelang in seinem Gesichtskreis vor ihm. Es mochte eine Bettlerin sein, keine Händlerin, denn wie er auch von weitem erkennen konnte, führte sie keine Habe bei sich, sondern schritt ohne Bürde an einem Stock so rasch aus, wie sie vermochte - ebenso rasch wie er selber, der kleine König, denn sonst hätte er sie nicht so lange sehen können, wie er's tat. Um die gleichen Zeiten und genauso lange wie er schien sie zu rasten, in den gleichen Orten zu nächtigen, um die gleiche Zeit wieder aufzubrechen wie er, die gleiche Kraft und die gleichen Gewohnheiten zu haben und vielleicht auch ein und dieselbe Müdigkeit. Als er sie auch am dritten Tage in gleich weitem Abstand vor sich sah, dünkte ihn das wunderlich: so,

als ginge sein eigener Schatten ihm so weit vorauf, und er machte sich viele Gedanken. Manchmal lockte es das letzte bißchen Neugier in ihm, sie einzuholen und sich zu vergewissern, welch eine Bewandtnis es mit ihr habe - wenn sie sich nun überhaupt einholen ließ und ihren Schritt nicht ebenso beschleunigte wie er. Dann wieder verzichtete er müde und wollte auch dieses Rätsel auf sich beruhen lassen. Vielleicht, dachte er, bilde ich mir das alles nur ein. Das meiste im Leben, was einen beschäftigt, ist nur ein Vorwand des Schicksals, die Liebe auch. Aber sicher ist sie der schönste von allen - für die grausamste Lehre.
Die große Stadt mußte am folgenden Tage schon sehr nahe sein, denn wo immer von Ost oder von Westen her eine Straße auf die seine einmündete, führte sie mehr und immer mehr Menschen herzu, die alle gen Süden weiterstrebten. Und je dichter das Gewimmel wurde, in dem er nun zum erstenmal die Bettlerin nicht mehr erkennen konnte, desto einsamer kam der kleine König sich vor. Er vermißte das Letzte, was ihm ein paar Tage lang vertraut geworden und jetzt schon wieder entschwunden war:

die Bettlerin, ein nie geschautes Gesicht; ihm war, als hätte man ihm seinen Schatten genommen. Nun, dachte er, wollte er rasten und nachdenken, was er hier eigentlich sollte. Am Nachmittag gleißten von fernher die Kuppeln eines riesigen Tempels in einer auf vier Hügeln erbauten Stadt, und die mit ihm Wandernden brachte der Anblick dazu, in laute Rufe des Entzückens und der Lobpreisung auszubrechen und ihren Schritt zu beschleunigen, um noch vor Abend in den Mauern zu sein. Nur der kleine König ging langsamer. Er wollte nicht zum Abend in der Stadt einkehren - ja, wollte er es je und überhaupt? Als er gegen Sonnenuntergang ein Wäldchen von Ölbäumen auf einem Hügel dicht vor den Toren erblickte, verließ er die große Straße und stieg mühselig keuchend auf einem schmalen Pfad hinauf. Hier unter den Bäumen oder in einer Gärtnerhütte hoffte er, die Nacht verbringen zu dürfen.

Der Ort heimelte ihn an und bedrückte ihn zugleich, je näher er kam. Reiche Leute schienen hier ihre Gärten und Pflanzungen zu haben, und keins der dichten, schattigen Gehege entbehrte der Pflege. Aber es war kein Mensch weit und breit. Einmal nur meinte der kleine König einen Schatten zwischen dem Gebüsch verschwinden zu sehen, aber als kein Zweiglein knackte und alles still blieb, verwies er sich's als Einbildung an einsamem Orte, wenn dieser Schatten nicht ein Landfahrender gewesen war, dem ebensowenig daran gelegen sein konnte, Menschen zu treffen, wie ihm.

Als er einen Brunnen fand, den tagsüber wohl ein Gärtner benützte, löschte er lange und ausgiebig seinen Durst. Dann blickte er sich um und horchte. Von fernher war der Schall vieler großer Trompeten zu hören, deren Ton die windstille Abendluft sehr weit trug. Unter den Bäumen, um die Feuchte des Brunnens, stieg und sank nur das winzige Brausen eines Mückenschwarms, und weiterhin zwischen den Büschen sangen die Grillen. Er stand lange Zeit reglos, halb wie zum Verweilen und halb, als überlege er, ob er weiter müsse. Dann gab er seiner Müdigkeit nach und stieg einen schmalen Gartenweg zwischen weit überhängenden Felsen hinab. Unter dem Dach des Gesteins gegen den Tau geschützt, wollte er die Nacht verbringen, die rasch hereinbrach.

Doch die tiefe Nische, zu der er seinen Schritt lenkte, war ... schon bewohnt. Der König erschrak. Eine alte Frau saß dort. Sie schien von eh und je dort gesessen zu haben, sie saß so unbeweglich, als wäre sie aus Stein gehauen. Rasch wollte er zurück, aber sie hatte ihn schon erblickt, und er blieb. Und wenige Augenblicke später dünkte ihn lächerlich, daß er überhaupt ans Fliehen gedacht hatte, denn diese Alte war hier sicher so wenig ein geladener Gast wie er. Es war eine alte, von Wind und Wetter gegerbte Bettlerin, die das Gedränge der abendlichen Stadt gescheut und wohl beschlossen haben mochte, hier die Nacht zu verbringen.

Der König, ohne die Alte viel zu beachten, machte sich's häuslich, wie er es gewohnt war: er suchte sich einen flachen Fels, gegen den er den Rücken lehnen konnte, und legte sich die Rechte als Kissen in den Nacken. Dann guckte er zu den Sternen empor. Die Alte, die zwischen langen Zeiten des Schweigens, in denen sie schon eingenickt sein mochte, zur Redseligkeit zu neigen schien, begann ihn nach Bettlerart auszufragen: wo er seine besten Plätze habe, wie er's an-

fange, viel zu bekommen, ob er schon einmal Gebrechen geheuchelt habe, um das Mitleid zu spornen, und wenn ja, dann welche, und wo nach seiner Meinung die Obrigkeit am gefährlichsten sei und die Weichherzigkeit der Leute am ergiebigsten.
Auf das allermeiste wußte der kleine König gar keine Antwort. Er besaß nicht die Erfahrungen, über welche die Alte zu verfügen schien, und bald schlief er ein. Eigentlich war er zornig, als ihn die Stimme der Alten - er wußte nicht, wie bald - wieder weckte. Sie wollte wissen, woher er gekommen sei.
Der kleine König lauschte ihrer Frage nach. Die Nische, in welcher sie saßen, verlieh ihren Stimmen so absonderliche Stärke, daß es tönte, als hätten mindestens drei Kehlen ihre Kraft geliehen.
»Woher?« fragte er noch schlaftrunken. »Ach, von weither...« Dann nannte er die Stadt, in welcher man ihn von der Galeere geladen und im Hause des Kaufmanns aufgenommen hatte.
Die Alte schwieg. Er konnte sie jetzt nicht mehr sehen, denn die Nacht war zu tief.
»Und sie selber?« fragte der kleine König,

aber sie gab keine Antwort. Dann sei er vielleicht gar nicht einmal einer von der Zunft? fragte sie eine geraume Weile später kichernd.
Welcher Zunft? wollte der König wissen.
Nun, jener, welche den Menschen eine Gelegenheit zum Wohltun biete, wie das Gesetz es befehle.
Das dünkte den kleinen König eine seltsam hochfahrende Erklärung fürs Betteln. - Nein, meinte er nach einer Weile einsilbig, von jener Zunft sei er nicht. Aber halt! genau besehen doch, nur... Meistens, wenn er es recht bedenke, hätten die Leute gerade die Gelegenheit durch ihn nicht wahrnehmen wollen. Aber wahrscheinlich komme es den meisten Menschen im Leben so vor.
Die Alte kicherte in der Finsternis vor sich hin.
»Man muß ihnen auch etwas geben«, sagte sie mit greisenhaft brüchiger Stimme belehrend.
»Als Bettler? Den Leuten etwas geben?« fragte der König erstaunt.
»O ja«, sagte die Alte. »Keiner ist so arm, daß er nicht noch etwas zu geben hätte. Und nur wenn die Wohltäter das auch ein wenig

spüren, tun sie wohl. - So sind die Menschen nun mal. Nur der Allmächtige schenkt auch in die leeren Hände und in einen tauben Sinn.«

Der kleine König war ganz wach geworden. »Was«, fragte er, »kann ein Bettler seinem Wohltäter zum Entgelt geben?«

»Ach«, meinte die Alte gleichmütig, »alles, was er besitzt.«

»Und warum bettelt er überhaupt, wenn er ›alles besitzt‹?« fragte der kleine König unwirsch. »Daß er bettelt, beweist doch, daß er nichts besitzt!«

Von der Ecke der Alten her kam Schweigen. Schon glaubte der kleine König, gegen die kindische Alte recht behalten zu haben.

»Ach, daß du das nicht verstehst«, sagte die Alte dann, »und bist doch sicher nicht jünger als ich, so wie ich dich vorhin gesehen habe. - Natürlich kann er ihm nicht das gleiche geben, aber etwas anderes, was der Geber vielleicht nötiger braucht als Geld. Einen Blick vielleicht, ein Wort - irgend etwas, was das Herz und den Sinn des anderen erhellt, sein Selbstvertrauen ein wenig belebt, oder was sein Gewissen beruhigt. Es gibt so vieles...«

»Vieles!« wiederholte der kleine König und schüttelte in der Finsternis lächelnd den Kopf.

»Ich«, sagte die Stimme der Alten in der Finsternis, »habe einmal alles, was ich besaß, weggegeben, und... Ach ja, da war ich noch jung!«

Der kleine König meinte, die Alte hätte sagen wollen, sie habe irgendwann einmal in der Jugend ihren Leib um ein Almosen weggegeben. Darüber mehr zu erfragen, widerstand ihm, da die Alte selbst verstummt war.

»Ich weiß, was du denkst«, sagte die körperlose und dabei doch so volltönende Stimme in der Nähe, »du denkst, ich spräche davon, daß ich mich einmal um ein Almosen einem Mann verkauft hätte. Ach nein! Männer habe ich gehabt, und Kinder habe ich gehabt, aber nicht um Geld oder aus Gefälligkeit. Davon rede ich nicht. Torheit ist Torheit, und Sünde ist Sünde, und die Liebe ist ein Vorwand für beides. Nein, ich habe viel mehr verschenkt, aber du kannst mir glauben, daß ich heute noch wiedergeschenkt bekomme.«

»Was hast du verschenkt?« fragte der Kö-

nig, »und wie bekommst du heute noch wiedergeschenkt?«
Es blieb lange still in der Nische. Der König blickte gespannt ins Dunkel hinein, in jene Richtung, wo er die Alte vermutete.
»Ich habe vor beinahe dreißig Jahren einmal mein Herz verschenkt«, sagte die Stimme der Alten, und mit einemmal war in dieser Stimme mehr Klang als früher. »Einem Manne, der barmherzig und gut zu mir war, sehr gut und voller Barmherzigkeit. Damals war ich jung und töricht und in großer Not. Ich habe ihm damals gesagt, daß ich's täte, aber ob er es geglaubt hat, weiß ich nicht. Wer glaubt schon einer jungen Bettlerin! Nein, ich habe nicht einmal gewußt, ob er's annehmen wollte. Aber ich habe es ihm geschenkt, obschon er gleich davonritt, und habe es seitdem nie wieder zurückgenommen, nicht im Versehen, wie es die Sünde sein kann, und nicht im Vorsatz. Und seitdem... Seitdem bin ich sehr glücklich in dem Gefühl, daß es ein sehr guter und barmherziger Mensch war, der mein Herz besitzt, und Tag für Tag genieße ich von diesem Glück und habe ihm dreißig Jahre lang mit Jubel im Herzen meine Treue

hinzugeschenkt. So also ... Nichts geht verloren«, sagte die Bettlerin leise, und weil sie wohl sehr müde geworden war, hörte der kleine König sie gähnen.
»Nein«, pflichtete er ihr bei, »da hast du recht, nichts geht verloren! Nur weiß niemand, wo es bleibt - wie nahe von ihm vielleicht schon, und wie bald oder wie spät.«
Er war froh, daß sie das unwidersprochen ließ und daß es still blieb, denn so gelang es ihm leichter, die Gedanken zurückzuschikken in die kleine Scheuer, in der er sie zum ersten Male gefunden, als sie ihr Kind zur Welt gebracht und er ihr die Windeln von einer Rolle des heimatlichen Linnens geschenkt hatte. Vor beinahe dreißig Jahren! Nun war sie eine alte Frau, und er war ein alter Mann, und weite Wege war jeder von ihnen gegangen, aber am Ende waren sie die gleiche Straße zu dem gleichen Ort gezogen, ohne voneinander zu wissen. Er war sicher, daß sie es war, die er tagelang wie seinen eigenen Schatten gesehen hatte. Und was er immer verloren gemeint, hatte er behalten, ja mehr: dreißig Jahre lang hatte er etwas besessen, woran er gar nicht geglaubt: das Königreich des Herzens, das sie

ihm damals im Stall gelobt... So war er also immer noch König, wie unwürdig der Vasallenschaft unter dem größten König aller Zeiten und Zonen und der Krone in Rußland er sich auch immer gewähnt!
Der kleine König blickte mit Tränen in den Augen zu den Sternen hinauf. Sein Herz war bei der Alten. Er war sicher: sie hatte ihn nicht wiedererkannt, sowenig er sie erkannt hätte, wenn sie sich ihm nicht zu erkennen gegeben hätte. Mit Jubel im Herzen schenkte sie ihm Tag für Tag ihre Treue... fiel ihm aus ihrer Erzählung ein. War er dann nicht doch unsäglich reich, auch ohne Krone und Land? Seine Gedanken verloren sich zwischen den milchigen Schleiern in der Himmelskuppel, ja, vielleicht schlief er in seiner Schwäche zwischendurch wieder einmal ein. Dann aber schreckte er bei einem verworrenen Lärm in der Nähe zusammen, bei dem - er spürte das mehr, als daß er's hätte hören können - auch die Alte erwacht war. Der Lärm schlug in ihre Nische wie in eine jeden Schall vervielfältigende Muschel.
»Ach! diese großen Städte«, hörte er die Alte ärgerlich murmeln. »Immer dieser Lärm!

Was haben sie denn jetzt auch noch nachts zu toben!«
Der kleine König saß gespannt da, jeden Augenblick bereit, sich durch die Büsche davonzumachen, aber der Lärm schien sie und ihren Garten nichts anzugehen. Er hörte aufgeregte Stimmen und Waffenklirren. Was das Ganze zu bedeuten hatte, ahnte er nicht. Vielleicht hatten die Scharwachen in der Nachbarschaft jemand zu suchen gehabt. Er war froh, daß es nicht hier, in ihrem Garten, gewesen war, und als Unbeteiligter genoß er die Ruhe, die allmählich wieder einkehrte. Daß er das Laub hören konnte, wenn es in einem Windhauch flüsterte; Tautropfen, wenn sie von irgendwo, wo sie sich gesammelt hatten, niederperlten; die winzigen Geräusche, welche die Stille der Nacht noch tiefer machten und über denen er noch einmal einschlief.
Als der Tag heraufdämmerte und er wieder erwachte, war er allein. Die Alte hatte ihn irgendwann einmal verlassen, als er noch geschlafen hatte, und er hatte nicht einmal gehört, wie sie aufbrach. Er hatte so fest geschlafen, als hätte er, wie einst in der Jugend, von Kwaß und Gurken geträumt,

oder vielleicht hatte er ihren Schritt für eins der leisen Geräusche der Nacht gehalten. Nun war sie fort, er vermißte ihre Gesellschaft, und nun, meinte er, würde er sie wohl auch nicht mehr wiedersehen. Sicher saßen zuviel Bettlerinnen in den Straßen der großen Stadt, als daß die Suche nach der einen unter den vielen sich lohnte. Und warum sollte er sie auch wiedersehen? Er wußte ja alles und empfing auch heute das Geschenk ihrer Treue ›mit Jubel in ihrem Herzen‹...
Sein eigenes krankes Herz fühlte, daß es ein heißer, schwüler Tag werden würde. Schon bedrückte die feuchtwarme Luft unter dem Blätterdach und den Felsen des Gartens seine eingefallene Brust, und sein Atem ging schwer. Über der Stadt gegenüber dem Garten waberte der Dunst um Kuppeln und Dächer und ließ deren Umrisse zittern. Den kleinen König schwindelte, als sein Blick keinen Halt fand. Der Entschluß aufzubrechen fiel ihm so schwer, daß er beschloß, so lange wie möglich hier oben zu bleiben.
Es ging schon gegen Mittag, als er langsam den Hügel hinabstieg und auf einem Pfad zu der großen Straße strebte, auf der er am

Vortage gekommen war und die zu einem der Stadttore führte. Das Gedränge hier unten war heute womöglich noch ärger als gestern, denn mit der Sonnenuntergangsstunde des Tages brach das hohe Fest herein, das allen Gläubigen zu Anfang Ruhe und Stille gebot. Die letzten, verspäteten Karawanen, von den Treibern zur Eile gepeitscht, schwankten den Toren entgegen, blökende Schafe, welche im Tempel geopfert werden sollten, trippelten einem wandernden wollenen Teppich gleich dahin, so dicht war Leib an Leib gepreßt, und wo kein Tier mehr Platz hatte, wanderte ein Mensch. Den kleinen König, als er erst einmal auf die Straße getreten war, mahlte, preßte und sog es zugleich hinter die Mauer, ohne daß er noch selbst hätte den Schritt bemessen können, und unter den Quadern des Tores wäre er beinahe umgesunken und von den nach ihm Schreitenden sicher zertreten worden, wenn er sich nicht im letzten Augenblick noch am Schwanz eines Esels hätte festhalten können. Dabei fiel ihm Wanjka ein, der tote Freund, der ihn so sicher getragen hatte. Dann aber, kaum hinter dem Tor, konnte er an nichts Gewesenes und Vergangenes mehr denken. Sein alter, müder Kopf faßte das Gegenwärtige kaum, die Augen gingen ihm über von allem, was er an Merkwürdigem sah, und seine Ohren faßten die verwirrende Vielfalt des Lärmens nur, wo er einzelnes von den Scharen Volks fortwährend wiederholt hören konnte. Das Geschrei der Menge galt einem König, nur begriff der kleine König aus Rußland noch nicht, was es mit diesem König auf sich hatte, und ob die Menge, welche durch die Gassen und Straßen irgendwohin drängte, vielleicht unterwegs war, diesem König zu huldigen, oder ob sie sich wider ihn zum Aufruhr erhob. Eine Weile ließ er sich von dem zum Strom angeschwollenen Fluß der Müßiggänger mitreißen und hastete mit allen anderen stadteinwärts; dann fühlte er, daß seine Kräfte versagten, und trat, als sich Gelegenheit bot, rasch in einen schützenden Torweg. Er mußte sich an die Mauer lehnen und die Augen schließen, dermaßen schwach hatte er sich in seinem ganzen Leben noch nicht gefühlt. Die Jagd der Menge, die Gassen hinauf, hörte er nur als verworrenen Lärm. Sehen mochte er sie nicht, denn sie schien

ihm mehr und mehr voller Bosheit. Wahrscheinlich, dachte er, ist es Aufruhr, obwohl sich ja Freude und Haß in dem Gebaren einer Menge so unheimlich ähnlich sahen...
Aber was für ein König war das?
Der Atem stockte ihm, als dieser Gedanke ihn überfiel, und er meinte, sein Herz hörte auf zu schlagen, so daß der Taumel für seine Sinne noch verwirrender wurde.
»Sie haben den Größten, und sie wollen ihn zum Geringsten machen«, hörte er mit einemmal eine bekannte Stimme sagen, aber als er die Augen auftat, mußte er in seiner Verwirrung lange nach dem Menschen suchen, der diese Worte gesprochen hatte, bis er - beinahe zu seinen Füßen - im Schutz des Torwegs, in den sie selber sich auch geflüchtet hatte, die alte Bettlerin gewahrte.
Er starrte sie an und mußte etlichemal von neuem ansetzen, bis er die wenigen Worte über die Lippen bekam: »Was sagst du? Und von wem sprichst du?«
Sie blickte ihn, wie er meinte, mit einem spöttischen Lächeln an. »Weißt du das nicht, und bist auf allen Straßen in Samaria und Galiläa unterwegs?«
Er schüttelte stumm den Kopf.

Als sie vornüber sank und mit ihrer Stirn kraftlos gelähmt auf die Steine schlug, sah er das nicht mehr. Gerade in diesem Augenblick hatte er sich wieder umgedreht, mit allen seinen Gedanken bei dem größten König.

...Die Gasse hinauf, über Straßen und Plätze, und überall, wie er fühlte, zu spät, zu spät. Noch war überall die große Erregung zu merken, aber etwas Außerordentliches, das sich zugetragen hatte, war doch nicht mehr anwesend. Es war vorbeigezogen - aber wohin? Der kleine König kannte die Stadt nicht; das Gewimmel, das allenthalben herrschte, verwirrte ihn und täuschte trügerisch Richtungen vor, die für ihn vielleicht ganz gleichgültig waren.

»Den König...? Wohin? wohin?« fragte er schließlich den Nächstbesten keuchend, er hatte wissen wollen, wohin man den König geführt, und der Fremde wies ihm, stutzig geworden durch diesen Verstörten, eine Richtung an, in der viele gingen. In dieser Richtung stapfte der kleine König weiter. Und je länger er wieder stadtauswärts ging, wie es ihm schien, desto deutlicher merkte er, daß er auf der Spur des richtigen Gesche-

hens war, auf der Spur dessen, den er gesucht hatte und immer weiter suchte. Denn wie eine Brandung den Wasserschaum zurückläßt, standen noch Menschen da und säumten die Straßen, die erst vor kurzem etwas Ungewöhnliches gesehen hatten. Der kleine König hob kaum den Kopf. Er brauchte keinerlei Auskunft mehr, er war sicher: er war auf der Spur, und alles, was jetzt nottat, war nur Eile. Einmal sah er weinende Frauen, die in ein Haus flüchteten, ein andermal grau verstörte Männer, aber er hielt sich nicht auf. Mit dem Strom und, wenn's nottat, auch gegen den Strom der verwunderten Gaffer und Müßiggänger hastete er weiter. Der König...! der größte! Heilige Schriften und Propheten hatten ihn angekündigt! dachte er verwirrt, und jetzt erhob sich sein Volk wider ihn! Gegen den König, dessen Kommen der Stern angekündigt hatte und dem zu huldigen jene drei damals vor dreißig Jahren und er selber aus dem fernen Rußland ausgezogen waren! Wie war das möglich? Wie... war... das möglich?

Nein, zu begreifen war gar nichts mehr. Denn als die Häuser zurückgewichen waren und freies Feld sich auftat, sanft ansteigend zu einem Hügel und je weiter, desto mehr von Menschen geleert, die alle auf der untersten Straße stehengeblieben waren und von dort aus gafften, da war dem kleinen König nur gewiß, daß er hier zu Füßen des Schindangers der großen Stadt stand, und daß oben - dort oben, wo eine Handvoll Knechte eben drei große Kreuze aufrichtete, an denen drei zum Tode verurteilte Menschen hingen - daß dort oben und nirgends sonst auf der Welt... sein König war.

Es konnte so aussehen, als bedächte er sich, ob er weitergehen sollte oder nicht. In Wirklichkeit hatten seine Schwäche und die Erkenntnis, was hier geschah, ihn für ein paar Augenblicke überwältigt. Er stutzte, er schwankte - aber dann schritt er gebeugt und keuchend den Abhang hinauf. Wie seine Füße ihn noch trugen, wußte er nicht. Dies... dies waren die letzten Schritte, das fühlte er, und vor dreißig Jahren hatte er die ersten gemacht. Alle zum gleichen Ziel. Kam er zu spät? Kam er auch jetzt wieder zu spät?

Der vierte König, der kleine aus Rußland,

hob aufwärtssteigend den Kopf und blickte zu den drei Kreuzen hin, an denen der Schächer inmitten schon von weither seinen Blick auf sich zog. Er achtete es nicht, daß er über moderndes Gebein stolperte und daß einer seiner Füße sich in dem beinahe kalkweiß gebleichten Gerippe eines Toten wie in einer gespannten Falle verfing Schweiß strömte über seine Stirn und rann ihm den Hals hinab, er wischte ihn nicht fort. Mit einemmal aber blieb er stehen, und seine Rechte griff rasch zur Brust nach dem Herzen hin, das einen grausamen Stich empfangen zu haben schien. Sein Gesicht war grau geworden, so heiß die Sonne auch brannte, und seine Lippen schimmerten bläulich wie die Ackerbeeren an den Rainen, bei denen er sich auf seiner Wanderschaft so manches Mal ohne Entgelt verköstigt. Dann, ob auch etwas langsamer, schritt er weiter. Schritt um Schritt, langsamer und immer langsamer. Er hielt den Kopf jetzt aufgehoben, daß sein Blick das Kreuz in der Mitte nicht mehr verlieren konnte. Und je häufiger er, langsam näherkommend, stehenblieb, desto deutlicher und inniger sah er den Herrn, seinen gekrönten Herrn, sei-

nen König, den größten aller Zeiten und Zonen, dem als Kind zu huldigen er vor mehr als dreißig Jahren aus Rußland ausgezogen war. Er wußte, daß Er es war, der da in der Mitte hing. Er wußte das - aber woher, das wußte er schon nicht mehr. Der Herr hatte ihn nur einmal anzuschauen brauchen in seinem Schmerz, da hatte er es für alle Zeit gewußt.
Ihn anzuschauen und von Ihm angeschaut zu werden aber - das war zuviel für des kleinen Königs Herz. Einen Augenblick empfand er die beseligende vollkommene Stille, in welcher der Schlag seines Herzens aussetzte - das war der Augenblick, da er lautlos vornüber zusammensank -, dann fühlte er einen stechenden Schmerz, den ein eiserner Rechen ihm bereitete, welcher seine ganze Brust zusammenzog.
Ich habe nichts, ich habe nichts mehr von allem, was ich dir hatte mitbringen wollen, dachte der kleine König beschämt und gequält. Das Gold, die Steine, das Linnen, die Pelzchen und selbst der Honig, den die Mutter mir in das Krüglein gefüllt - alles ist hin und vertan. Verzeih, Herr! Rußland aber...
Doch da, als es schon vor seinem Blick dun-

kelte, fiel ihm das Herz der Bettlerin ein, das sie ihm als Königreich geschenkt hatte, und er dachte an sein eigenes Herz: das einzige, was er noch zu verschenken hatte. Und in das Polster eines wilden Thymians hinein, das sich zwischen moderndem Gebein ausbreitete und seinen Duft in den nahen Abend verströmte, flüsterten seine Lippen, ohne daß er es da noch wußte: »Aber mein Herz, Herr, mein Herz... und ihr Herz... Unsere Herzen, nimmst du sie an?«

›Die Legende vom vierten König‹ wurde Edzard Schapers Roman ›Der vierte König‹ entnommen.